MADAME PAMPLEMOUSSE

et ses
Fabuleux Délices

Rupert Kingfisher

MADAME PAMPLEMOUSSE

et ses
Fabuleux Délices

Illustré par Sue Hellard

Traduit de l'anglais (Royaume-Uni)
par Valérie Le Plouhinec

Witty

Albin Michel Jeunesse

Titre original :
MADAME PAMPLEMOUSSE AND HER INCREDIBLE EDIBLES
Édition originale publiée au Royaume-Uni en 2008
par Bloomsbury Publishing Plc
© Rupert Kingfisher 2008 pour le texte
© Sue Hellard 2008 pour les illustrations
Le droit moral de l'auteur et de l'illustratrice a été respecté.
Tous droits réservés, y compris droits de reproduction totale ou partielle,
sous toutes ses formes.

Pour la traduction française :
© 2012, Éditions Albin Michel Jeunesse
22, rue Huyghens, 75014 Paris – www.albin-michel.fr
Loi n° 49-956 du 16 juillet 1949 sur les publications destinées à la jeunesse
Dépôt légal : premier semestre 2012
ISBN : 978-2-226-23982-2 – ISSN : 2262-4333

Chapitre premier

Quelque part dans la ville de Paris, près des berges de la Seine, au cœur d'une ruelle étroite et sinueuse, se trouve une boutique. Une petite boutique, plutôt décrépite, à la peinture fanée, à l'auvent poussiéreux, aux vitrines sombres et enfumées. Son enseigne porte le mot *Délices*, car c'est une épicerie fine qui propose des aliments rares et exotiques. Rares et exotiques ? Ces mots sont bien faibles pour les décrire. En effet, la boutique appartient à madame Pamplemousse, et cette dame prépare les plus étranges, les plus délectables, les plus époustouflants, les plus exceptionnels délices au monde.

À l'intérieur, dans la lueur des chandelles, l'air est frais et sent un peu le moisi. Parmi les ombres vacillantes, on aperçoit de grands tas de saucisses, des bouquets d'herbes, des tresses d'ail et de piments. D'énormes jambons séchés pendent au plafond. Les fromages s'alignent sur des lits de feuillages vert sombre et, tout autour, des étagères couvertes de bouteilles et de bocaux biscornus s'élèvent jusqu'au plafond.

Mais à y regarder de plus près, on découvre que les saucisses ne sont pas ordinaires : ce sont des saucisses de bison au poivre noir, de sanglier au vin rouge, ou encore du salami de Minotaure à la sauge et au thym sauvage. Parmi les viandes séchées se trouvent des queues de vélociraptor

salées, du lard de ptérodactyle, du tigre à dents de sabre fumé et du roulé de langue de tyrannosaure. Les fromages, dont certains remontent à l'époque médiévale, répandent un fumet indescriptible, et chacun des pots et bocaux est étiqueté d'une fine écriture violette : queues de scorpion à l'aïoli fumé, rognons de crocodile au vin de myrtilles, cervelles de cobra au beurre noir, piranha rôti au coulis de framboises, terrine d'anguilles électriques à l'ail et aux pruneaux, ailerons de grand requin blanc à la liqueur de banane, tentacules de poulpe géant à la gelée de jasmin.

Sous la boutique, au pied d'un escalier en colimaçon, un long couloir noir mène à une porte. Une porte qui demeure en permanence fermée à clé. Car c'est derrière

cette porte que madame Pamplemousse élabore sa spécialité la plus raffinée, une spécialité vendue dans de tout petits flacons, avec une étiquette sur laquelle rien n'est écrit. Si l'étiquette est vierge et que les ingrédients sont secrets, c'est qu'il s'agit là du plus fameux, du plus extraordinaire et du plus succulent de tous les délices de madame Pamplemousse.

Bien qu'elle propose les mets les plus fabuleux que l'on puisse imaginer, sa boutique n'est absolument pas connue dans la ville de Paris. Et madame Pamplemousse ne le désirerait pour rien au monde. Elle gagne de quoi vivre et se contente, chaque jour, de se réveiller à l'aube, de boire un petit café noir, d'ouvrir sa boutique, de servir ses clients et de recevoir ses fournisseurs. Quand vient le soir, elle aime plus que tout s'asseoir sur son balcon suspendu au-dessus des toits en compagnie de son chat, Camembert, pour commenter la journée en sirotant du vin de pétales de violette.

Camembert était naguère un chat errant, un matou de gout-tière. Il est entré chez elle un soir, par hasard, après une

bagarre particulièrement rude avec une bande de siamois. Il avait perdu un œil au cours du combat, mais
ce n'est rien comparé à ce qui était arrivé aux siamois.
Contentons-nous de dire qu'il a acquis ce soir-là une
réputation de chat à qui on ne se frotte pas. Madame
Pamplemousse et lui se sont appréciés sur-le-champ, et
depuis tous deux vivent ensemble dans une harmonie
parfaite, même si parfois le chat effraie les clients en
menaçant de mordre ceux dont la tête ne lui revient
pas.

L'une des bêtes noires de Camembert était un gros
homme au physique porcin dénommé monsieur Lard.
Celui-ci tenait un restaurant dans le centre de la ville :
un grand restaurant aux lumières criardes, qui s'ap-
pelait *Le Cochon hurleur*. Le problème principal de ce
restaurant était sa cuisine : monsieur Lard avait beau
croire que c'était une des meilleures de Paris, elle était,
en réalité, absolument infecte. Tout ce qu'il concoctait
se révélait trop gras, trop sucré ou trop lourd. L'autre

problème était l'attitude de monsieur Lard envers sa clientèle : il se montrait plus lourd encore que ses plats. Un jour, désireux d'impressionner une vedette de cinéma qui était venue prendre un déjeuner léger, il lui avait servi un agneau entier frit dans de la pâte à beignet et noyé de sirop d'orange. La star se souvenait encore des violentes crampes d'estomac qui s'étaient ensuivies.

Monsieur Lard régnait sur toute une brigade de cuisiniers, dont beaucoup étaient hautement qualifiés ; pourtant, aucun ne se serait risqué à critiquer le style très personnel de ses « spécialités du chef ». Car le seul réel talent que possédait Lard était de terroriser son entourage. Les maîtres queux les plus expérimentés, ceux qui avaient servi les plus prestigieuses tables parisiennes, tremblotaient comme de la gelée et laissaient échapper leurs ustensiles sitôt que Lard pénétrait dans la pièce. Même le chef de cuisine, qui autrefois avait fait preuve d'un grand talent, n'était plus qu'une loque flageolante après tant d'années passées à subir les brutalités de Lard et à devoir préparer ses recettes infâmes : pizza aux oreilles de cochon, rognons hachés à la triple crème, saucisses d'abats et de fruits de mer ou raviolis de crabe au coulis chaud de chocolat blanc.

Le meilleur marmiton du *Cochon hurleur*, et de loin, était la nièce de monsieur Lard, une fillette prénommée Madeleine. Chaque année, ses parents l'envoyaient passer l'été chez son « gros tonton jovial ». Elle avait bien tenté de leur dire que son gros tonton, loin d'être jovial, n'était qu'un grippe-sou tyrannique : sa mère avait failli se trouver mal et son père lui avait reproché son ingratitude. Si bien que depuis, pendant qu'ils partaient en safari ou en croisière autour du monde, Madeleine s'en allait travailler dans les cuisines

du *Cochon hurleur*. De manière générale, cela l'obligeait à sourire énormément. Monsieur Lard, en effet, était obnubilé par le sourire. La totalité du personnel – des serveurs aux chefs de rang et jusqu'aux femmes de ménage, pourtant confinées derrière les immenses portes des cuisines – avait l'obligation de sourire en toute occasion.

Le restaurant faisait d'ailleurs de bonnes affaires, grâce aux riches touristes de passage qui supposaient, au vu des prix, que les plats servis devaient être ce que l'on faisait de mieux. Et il faut reconnaître que, hormis les « spécialités du chef », qui étaient répugnantes, certains plats étaient tout à fait corrects. Mais cela ne suffisait pas à monsieur Lard. Son plus cher désir, on pourrait même dire son obsession, était de devenir célèbre. Il rêvait de se tailler une réputation de grand cuisinier.

Las, cela ne risquait pas de lui arriver, pour la simple et bonne raison qu'il était le plus abominable gâte-sauce que l'univers eût jamais connu. Et plus il s'acharnait, plus sa cuisine devenait répugnante et ridicule.

Jusqu'au jour où il fit une découverte remarquable, une découverte qu'il devait entièrement à sa nièce Madeleine.

Chapitre deux

À part sourire, la principale tâche de Madeleine au *Cochon hurleur* consistait à faire la vaisselle. Beaucoup de vaisselle. Énormément de vaisselle. Bien qu'elle fût le meilleur marmiton du restaurant, elle n'était jamais autorisée à cuisiner : son oncle avait donné des ordres très stricts en ce sens.

Et cela, depuis le jour où elle avait fait une soupe.

Madeleine cuisinait depuis qu'elle était toute petite,

mais elle avait encore beaucoup appris en travaillant aux côtés des chefs. Sa soupe était un bouillon citronné, d'une légèreté exquise, aromatisé aux herbes fraîches. Elle l'avait préparée pour son oncle, pour lui faire plaisir.

Tout d'abord, monsieur Lard l'avait dévorée comme un glouton, engouffrant de pleines louchées qui dégoulinaient sur son menton. Mais aussitôt qu'il avait appris qui en était l'auteur, il s'était arrêté net, la cuiller en l'air, et sa grosse figure avait viré au rouge foncé.

— Qu'y a-t-il, mon oncle? lui avait demandé Madeleine. Ai-je mis trop de citron?

Lard avait recraché par terre tout ce qui lui restait en bouche.

— Tu perds ton temps dans ma cuisine! avait-il beuglé.

— Mais je ne perdais pas mon temps, je vous assure! J'ai préparé cette soupe exprès pour vous!

Il avait secoué la tête en ricanant.

– Ne sois pas ridicule. Tu ne sais pas cuisiner!

Sur ces mots, il avait soulevé la soupière et l'avait entièrement vidée par la fenêtre.

La vérité était que Madeleine l'avait rendu jaloux. Tellement jaloux que jamais plus il ne la laissa s'approcher d'un fourneau. C'est pourquoi elle se retrouvait condamnée à récurer les assiettes, les poêles et les casseroles, qui s'entassaient jusqu'au plafond, recouvertes de graisse visqueuse. Le samedi, si elle était bien sage, on l'autorisait à nettoyer les réfrigérateurs ou à vider les poubelles. Et de temps à autre, par faveur exceptionnelle, on l'envoyait faire les commissions.

Un jour, en vérifiant l'état des réserves, le chef de cuisine découvrit qu'il ne restait plus une miette de pâté de tripes et boyaux – une mixture de divers organes innommables, eux-mêmes issus de divers animaux innommables, noyés dans la graisse et colorés en rose bonbon.

Personne n'aimait ce pâté, à l'exception de monsieur Lard. Mais comme ce dernier y tenait beaucoup, il était hors de question d'en manquer, sous peine d'exécution capitale. En découvrant que l'étagère était vide, le chef de cuisine poussa un cri déchirant. Madeleine vit là une chance de s'évader un moment : elle se proposa donc pour aller en racheter.

Pour se rendre au marché, il suffisait de longer les quais. Madeleine, pour sa part, préférait prendre le chemin des écoliers et se promener dans les petites rues. La vitrine du *Cochon hurleur* donnait sur un grand boulevard animé, mais à l'arrière la porte de service s'ouvrait sur un dédale de ruelles tortueuses, étroites et calmes. À cette heure de la journée, elles étaient désertes : à peine y croisait-on de temps en temps un rat, et cela ne dérangeait pas Madeleine. Après tout, les rongeurs vaquaient à leurs affaires sans embêter personne, tout comme elle.

Ce jour-là, bizarrement, elle ne vit pas la queue d'un rat. En revanche, elle vit un chat : un long chat blanc qui lui coupa la route, trottina devant elle et s'arrêta au bout de la rue.

Elle crut le reconnaître : parfois, en faisant la vaisselle tard le soir, elle apercevait un chat blanc perché sur le mur au-dessus des poubelles. Dans le clair de lune, elle l'avait tout d'abord pris pour une chouette effraie. Pensant bien qu'il s'agissait à présent du même animal, elle l'appela.

– Monsieur? Attendez-moi, je vous prie, monsieur...

Mais il avait déjà disparu au coin de la rue. Sans savoir pourquoi, elle résolut de le suivre. Passant elle-même le coin, elle déboucha dans une ruelle escarpée. Au-dessus d'elle, de la lessive séchait sur des fils à linge tendus entre les persiennes et les balcons de fer forgé, et le grand soleil de l'après-midi illuminait les draps blancs.

Au sommet de la butte, elle se retrouva dans une petite rue pavée, tranquille et poussiéreuse, dans laquelle il n'y avait qu'une boutique. Une petite boutique décrépite. Et le chat blanc était là, qui traversa d'un pas furtif. C'est alors qu'il arriva une chose étrange, très étrange, au point que Madeleine se demanda si elle avait la berlue. Car au moment où il atteignit la boutique, le chat sembla se dresser sur ses pattes arrière, ouvrir la porte et entrer en marchant.

Madeleine s'approcha discrètement de la vitrine et scruta l'intérieur, mais la pièce était si sombre et enfumée qu'elle distingua à peine quelques lueurs orangées de bougies. Toutefois, la porte était entrouverte, si bien qu'elle entra.

Il lui fallut un petit moment pour s'accoutumer à la lumière chiche des chandelles ; ce qui la frappa en premier fut l'odeur. Un fumet frais et légèrement moisi, semblable à celui des vieilles églises — sauf que celui-ci émanait entièrement des fromages. Elle détecta une note plus profonde, plus corsée, chaude et exotique, qui lui fit penser à un marché aux épices oriental. Et ce n'était pas tout, car Madeleine avait le nez fin ; on distinguait aussi une senteur de lavande séchée sous un chaud soleil.

Soudain, une femme surgit de l'ombre. Madeleine faillit pousser un cri de surprise.

— Que puis-je faire pour vous, mademoiselle ? s'enquit madame Pamplemousse.

— Pa… pa… pardon, madame, répondit la fillette en se rapprochant insensiblement de la porte. J'allais au marché, je suis entrée par erreur…

Et elle allait sortir, lorsque la voix de la femme l'arrêta.

— Et qu'alliez-vous chercher au marché, mademoiselle ?

– Du pâté, madame.

– Du pâté ? J'ai exactement ce qu'il vous faut.

 Et elle prit sous le comptoir un tout petit bocal empli d'une substance vert foncé. Sur l'étiquette, il était joliment écrit à l'encre violette :

Pâté de serpent de mer de l'Atlantique Nord à la moutarde verte en grains

La plupart des gens auraient cru à une escroquerie ou à un canular. Madeleine, elle, ne douta pas un instant que le pâté fût vraiment fait de serpent de mer ; seulement, ce n'était pas la variété de pâté qu'on l'avait envoyée chercher.

– Je regrette, madame, mais je crois qu'il y a erreur.

– Vous avez bien dit du pâté, mademoiselle ?

– Oui, mais…

– Ceci est tout simplement le
meilleur pâté que vous puissiez
trouver de nos jours.

– Mais je n'ai que très peu
d'argent, protesta Madeleine en
montrant ses quelques pièces à la femme. Jamais je
n'aurai les moyens…

Avant qu'elle eût achevé sa phrase, madame Pamplemousse lui avait pris l'argent des mains.

– Cela suffira, merci.

Et dans l'instant, elle disparut.

Elle disparut si rapidement que Madeleine mit deux
ou trois secondes à s'en rendre compte. Mais c'était
indéniable : la femme n'était plus là, et le silence était
retombé sur la boutique.

Quoique… ce silence n'était pas silencieux. Madeleine comprit soudain que depuis son entrée dans le
magasin il n'y avait pas eu une seconde de silence. Tout

autour d'elle, dans l'ombre, s'élevait un chuchotis de petits bruits, comme des hoquets ou des soupirs

infimes, accompagnés d'un sifflement faible mais persistant. Un grondement retentit soudain, et quelque chose traversa le sol en glissant. Repensant aux serpents de mer, Madeleine s'enfuit sans demander son reste.

Chapitre trois

Lorsqu'il apprit que Madeleine n'avait pas rapporté le bon pâté, le chef de cuisine fondit en larmes. Monsieur Lard le terrifiait déjà suffisamment en temps normal. Là, c'en était trop pour lui.

– Il va nous hacher menu! pleurait-il. Il va nous ébouillanter tout crus!

Et il sanglotait, inconsolable, la tête entre les mains.

Madeleine devait réfléchir, et vite. L'homme avait

sans doute raison ; quand son oncle découvrirait l'af-
faire, sa fureur serait terrible. Mais lorsque la fillette se
remémora la femme extraordinaire qu'elle avait rencontrée dans la boutique, ce souvenir, curieusement,
lui donna du courage.

Elle prit une baguette qui sortait
du four, encore chaude et crous-
tillante, et ouvrit soigneusement
l'étrange petit pot de substance
verte. Elle en tartina une mince
couche sur un morceau de pain, qu'elle tendit au chef
de cuisine.

— Tenez, dit-elle. Mangez ceci, vous vous sentirez
mieux.

Tout à son malheur, le chef ne l'entendait pas.

— Il nous fera rôtir à la broche, oui... mais d'abord,
il nous noiera dans de la graisse d'oie...

— Mangez ! insista-t-elle plus sévèrement.

Le cuisinier lui obéit.

Le nez encore dégoulinant de larmes, il prit le pain et mordit dedans avec circonspection. Il mâcha lentement, attentivement, les sourcils froncés. Subitement, son visage se figea et ses yeux s'écarquillèrent.

— C'est bon ? l'interrogea Madeleine avec anxiété.

Mais l'homme ne répondit pas.  Car ce qu'il avait en bouche ne ressemblait à aucun mets qu'il ait jamais goûté, à aucune saveur jamais rencontrée. Il avait l'impression d'être devenu lui-même le serpent de mer, nageant dans une eau fraîche et sombre. Il était sur le point d'expliquer cela à Madeleine, lorsque, à sa grande horreur, il vit les yeux porcins de monsieur Lard le fixer entre les portes battantes de la cuisine.

— Que se passe-t-il, ici ? demanda Lard d'un air mauvais.

— Monsieur Lard ! Qu... qu... quel plaisir de vous voir, bégaya le chef avant de rester coi, incapable de trouver autre chose à dire.

Madeleine s'interposa rapidement.

– J'espère que cela ne vous dérange pas, mon oncle, dit-elle. Nous nous entraînions à sourire, pour être sûrs de bien y arriver.

Le chef de cuisine hocha vigoureusement la tête et, en guise de preuve, la fillette et lui sourirent d'une oreille à l'autre, telles deux hyènes hilares. Le chef émit un bruit qui voulait être un rire mais ressemblait plutôt à un caquetage hennissant, ou à un hennissement caquetant.

Monsieur Lard les lorgna d'un air soupçonneux en caressant sa moustache. Finalement, il parut satisfait.

– Pas mal, lâcha-t-il. Mais vous avez encore des progrès à faire.

Et il partit à grands pas, en laissant battre les lourdes portes d'acier derrière lui.

Madeleine et le chef de cuisine respirèrent plusieurs fois à fond pour calmer leurs battements de cœur.

– Ne vous inquiétez pas, souffla Madeleine. Je remplacerai le pâté demain, promis.

L'homme se remit à pleurer doucement.

– Mais si quelqu'un en commande ce soir, mademoiselle? Dans ce cas, nous sommes perdus!

– Nous pourrons toujours servir ceci, dit-elle en soulevant le bocal vert.

– Non, mademoiselle! s'écria aussitôt
le chef.

– Pourquoi? Ce n'est pas bon?

– Bon? Non, ce n'est pas *bon*. Ce n'est pas *bon* du
tout.

Il se tut un instant, visiblement bouleversé.

– Ce n'est pas bon, c'est sublime! Miraculeux!
Mademoiselle, ce que vous avez en main est, sans
aucun doute possible, le pâté le plus succulent qui
ait jamais existé. Et c'est précisément pour cela que
nous ne pouvons pas le servir ce soir. Rien de si
délicieux n'a jamais figuré à la carte de ce restaurant : monsieur Lard se douterait immédiatement de
quelque chose!

Les commandes de chaque table arrivaient en cuisine par le biais d'une machine qui les imprimait sur une bande de papier. Cette machine émettait une sonnerie stridente, électrique, chaque fois qu'elle crachait un ticket. Et justement un ticket arriva, où c'était écrit là, noir sur blanc : à dix-neuf heures trente, une tablée de sept personnes venait de commander du pâté en entrée.

Le chef de cuisine fut le premier à le voir. Il encaissa la nouvelle avec un calme admirable : il arracha le ticket de commande et alla le montrer à Madeleine. Après quoi, il lui serra la main avec solennité.

– Mademoiselle, dit-il d'un ton grave, sachez que ce fut un plaisir de travailler avec vous, et que si je devais être rôti aux côtés de quelqu'un, je ne pourrais rêver meilleure compagnie.

– Ne voulez-vous pas que nous essayions le nouveau
pâté? suggéra Madeleine. Le changement passera peut-
être inaperçu…

– Croyez-moi, il n'y a aucune chance.

– Mais nous n'avons pas le choix!

Madeleine elle-même commençait à avoir les larmes
aux yeux. Le chef lui toucha légèrement l'épaule.

– Courage, mademoiselle, dit-il avec douceur.

– Hé, vous deux! aboya alors un petit serveur maigrichon qui était entré d'un pas

dansant dans les cuisines. Grouillez-

vous avec les pâtés!

En toute hâte, Madeleine et le chef

vidèrent le bocal vert. Ils tendirent les

sept assiettes au serveur, qui réussit

à les porter toutes à la fois, y com-
pris une sur sa tête. Ils crurent tout d'abord qu'il n'avait
rien remarqué d'anormal; mais, juste avant de franchir les
portes, il s'arrêta et haussa un sourcil perplexe.

– Drôle de couleur, non ? lança-t-il d'un ton acerbe, avant de repartir en virevoltant vers la salle.

L'attente qui suivit fut un moment d'angoisse épouvantable pour le chef comme pour Madeleine. En temps normal, après les entrées, le serveur revenait en cuisine annoncer la suite. Cette fois  – sinistre présage –, il ne réapparaissait pas. À mesure que les minutes s'écoulaient, les deux complices commencèrent à redouter le pire.

Alors, il se produisit quelque chose d'extraordinairement curieux : la table de sept en redemanda.

Ces dîneurs se comportaient bizarrement depuis qu'ils avaient été servis. Jusqu'alors, ils avaient été les convives les plus bruyants du restaurant ; mais après avoir goûté le pâté vert, ils étaient restés muets et n'avaient plus fait que mâcher en silence, le regard perdu dans le vague.

D'habitude, le pâté de tripes et boyaux écœurait tant les clients qu'ils avaient du mal à finir leur assiette. Cette seconde commande était un événement inouï, qui éveilla immédiatement les soupçons de monsieur Lard. Celui-ci ne mit pas longtemps à découvrir le pot aux roses. Il comptait plusieurs espions au sein du personnel, et l'un d'eux, le petit serveur maigrichon qui se déplaçait comme un danseur, lui parla du pâté à la couleur étrange. Et il ajouta, l'air de rien, qu'il avait vu Madeleine se promener en ville ce matin-là.

Lard s'engouffra dans les cuisines, tonnant et tempêtant. Les marmitons s'efforçaient de cacher Madeleine dans un gros bidon d'huile végétale, mais Lard les envoya valdinguer.

– Où as-tu trouvé ça? mugit-il. OÙ AS-TU TROUVÉ ÇA?

Il la secouait si violemment qu'elle ne put rien répondre ; mais le petit pot vert tomba de sa poche et se fracassa au sol. Il était vide, mais monsieur Lard avait sa réponse. Car une étiquette était restée collée sur un éclat de verre. Dessus, il était délicatement écrit à l'encre violette :

Délices
62, rue de l'Escargot

La rumeur se répandit dans toute la ville comme une traînée de poudre, et dès le lendemain les clients se bousculaient au *Cochon hurleur* : tout le monde avait entendu parler du mets étrange et délicieux qu'y servait monsieur Lard. Et puis, merveille des merveilles, une réservation fut passée au nom de monsieur Langoustine.

Monsieur Langoustine était critique gastronomique. Pas n'importe lequel : il était le plus influent de Paris. Une mauvaise

critique de sa part, et votre restaurant fermait immédiatement. Et comme il n'en écrivait jamais de bonnes,
il ne restait qu'à espérer ne pas trop lui déplaire : cela
suffisait pour faire salle comble.

Si Langoustine venait, Lard devrait lui servir quelque
chose d'exceptionnel. Et pour cela, une visite rue de
l'Escargot s'imposait.

Chapitre quatre

Monsieur Lard longea un peu la Seine, prit à gauche dans les ruelles sinueuses, poussiéreuses, inondées de

soleil matinal, puis franchit une porte et pénétra dans la pénombre des chandelles. Ses narines furent aussitôt assaillies par une senteur d'herbes et d'épices aigres-douces, et par le fumet moisi des vieux fromages. Il plissa le nez. Quelque chose, dans cette odeur, lui déplaisait.

Une sonnette de cuivre était posée sur le comptoir. Il la frappa une fois, puis recommença, car elle n'avait apparemment pas sonné. Il pianota avec impatience sur le comptoir en jetant des regards autour de lui. Soudain, un cri à vous glacer le sang retentit, et quelque chose bondit de l'obscurité.

De frayeur, Lard tituba en arrière et faillit tomber à la renverse.

C'était un chat – un mince chat blanc affublé d'un bandeau de pirate. L'animal s'abattit sur le comptoir, où il cracha en montrant les crocs.

– Sale bête galeuse! grogna Lard.

À cet instant, une femme vêtue de noir surgit de l'ombre.

– Que puis-je faire pour vous, monsieur? s'enquit madame Pamplemousse.

Lard se sentait nettement mal à l'aise. Ces deux-là

l'avaient surpris sans défense, et il n'aimait pas du tout la voix de la femme. Elle semblait lire dans ses pensées.

– Madame, dit-il avec un large sourire graisseux, ma nièce est venue ici hier. Vous lui avez vendu du pâté. Vous ne vous vous souvenez sûrement p...

– Je me souviens d'elle.

– Ah. Bien, dans ce cas, je suis navré, mais elle s'est trompée. Elle a fait la bêtise de n'en acheter qu'un pot, alors que je lui avais demandé d'en prendre dix.

– Cela fait beaucoup de pâté, monsieur, dit madame Pamplemousse après un silence.

– Dame, oui! ricana l'homme en se frottant les mains. Ma chère petite maman vient dîner ce soir. Elle n'est pas bien grande, mais elle a de l'appétit!

– Hélas, monsieur, je crains que ce ne soit impossible.

– Tant qu'on y met le prix, rien n'est impossible, madame. Je suis certain que nous allons nous mettre d'accord.

— Vous n'avez peut-être pas lu l'étiquette? poursuivit madame Pamplemousse. Le serpent de mer de l'Atlantique Nord est une rareté, vous savez. L'ultime représentant de l'espèce, si je ne m'abuse, nage en ce moment quelque part dans les eaux froides de l'Écosse. Votre nièce a eu mon dernier pot. Mais peut-être puis-je vous proposer autre chose?

 Lard fut envahi d'une rage si violente qu'il dut sourire encore plus largement pour la maîtriser.

— Vous me prenez pour un imbécile, madame, lança-t-il avec un rire menaçant. Vous croyez pouvoir me fourguer n'importe quelle cochonnerie.

— Je vous assure qu'il n'y a pas la moindre cochonnerie dans cette boutique, répondit madame Pamplemousse, offensée.

Le chat fit le gros dos et cracha.

Monsieur Lard se lécha le doigt, puis sortit un à un des billets de son portefeuille.

– Je ne veux que la meilleure qualité, madame, vous comprenez? Le meilleur de ce que vous avez.

– Le meilleur, monsieur?

La femme haussa un sourcil. Lard sentit la sueur perler sur son front.

– Très bien, continua-t-elle. Si c'est ce que vous souhaitez, essayez ceci.

Et, d'un mouvement agile, elle se baissa sous le comptoir et en remonta un tout petit flacon. Pas plus gros qu'un coquetier, il était scellé à la cire, avec une étiquette en épais papier jaune.

Lard le prit avec méfiance. Le pot semblait contenir une sorte de pâte. Oui, c'était bien cela. Mais à la lueur des chandelles, cette pâte changeait de

couleur. D'un côté, elle luisait d'un rouge sombre, doré, une couleur de flamme ; de l'autre, elle avait une tendre teinte lavande ; vue sous un autre angle encore, elle passait à l'aigue-marine puis virait au saphir.

— Mais qu'est-ce que c'est ? Je n'arrive pas à lire l'étiquette. On dirait... mais... il n'y a rien écrit, madame.

— C'est parce que cela n'a pas de nom.

— Pas de nom ? Et pas d'ingrédients non plus, peut-être ?

— Les ingrédients sont secrets. Mais je vous garantis que personne ne sera déçu.

Monsieur Lard s'épongea le front. La gloire était à portée de main, pour peu qu'il parvînt à se contrôler. Le chat, qui émettait un grognement sourd, ne lui facilitait pas la tâche.

— Ce flacon est minuscule. Si c'est aussi bon que vous le dites, vous pourriez peut-être m'en vendre... bah, voyons... je ne sais pas... une centaine ?

— Votre mère doit être affamée, monsieur.

Lard gloussa nerveusement.

– Je plaisantais, chère madame.

Mais madame Pamplemousse ne souriait pas.

– Ce pot-ci est tout ce que j'ai pour le moment. Cette spécialité a la particularité de ne pas pouvoir être préparée sur commande. Cela nuirait gravement à sa saveur. Cependant, une toute petite quantité suffit, et vous trouverez dans ce flacon de quoi nourrir largement une tablée de cent convives. Je pense que cela devrait convenir à monsieur et à son… invitée ?

Lard inclina la tête.

– Trop aimable, chère madame. Un pot me suffit amplement, bien sûr. Mais nous n'avons pas parlé du prix… (Il rangea hâtivement ses billets dans son portefeuille.) Je suppose qu'il est aussi petit que le flacon ?

– Ne me payez rien avant d'y avoir goûté, répondit-elle. Vous reviendrez me voir demain, et vous me donnerez ce que cela vaut, à votre idée. Mais à une condition : ser-vez ceci simplement, le plus simple-ment possible, sans rien d'autre qu'un bon vin et du bon pain. Bien! conclut-elle en tapant dans ses mains. S'il n'y a rien d'autre, je vous sou-haite le bonjour, monsieur.

Et en un clin d'œil elle disparut dans le noir.

Chapitre cinq

Au *Cochon hurleur*, tout le monde avait le sourire. Monsieur Lard patrouillait dans les cuisines et supervisait les préparatifs de la soirée dans les moindres détails. Suivant à la lettre les instructions de madame Pamplemousse, il faisait servir la pâte étrangement colorée sans autre accompagnement que du pain, mais il n'avait pu s'empêcher d'ajouter une petite oreille de goret en garniture sur chaque assiette.

Depuis le soir du pâté de serpent de mer, monsieur Lard observait Madeleine avec méfiance. Bien sûr, c'était elle qui avait apporté cette soudaine bonne fortune, mais aux yeux du restaurateur cela la rendait dangereuse. Car la petite savait qu'il était un imposteur – qu'il servait la cuisine d'une autre en la faisant passer pour la sienne.

Personne n'avait plus le droit de parler à Madeleine. En conséquence, un étrange nuage de soupçon s'était formé autour de la fillette, et tout le personnel avait changé d'attitude envers elle. On évitait de s'adresser à elle ; les serveurs n'empilaient plus les assiettes sales, mais les flanquaient directement dans l'évier en l'éclaboussant d'eau graisseuse. Et elle se retrouvait mystérieusement exclue des repas du personnel. Seul son ami le chef de cuisine prenait des risques énormes pour veiller à ce qu'elle fût nourrie.

Devant le restaurant, une longue file d'attente s'était formée. Il régnait une ambiance de fête sur les quais de la Seine, et l'air du soir bourdonnait de conversations joyeuses. Tout le monde était au courant que monsieur Langoustine devait venir, et un concert d'applaudissements éclata lorsqu'une limousine noire se gara le long du trottoir et qu'un chauffeur en tenue de soirée ouvrit la portière au fameux critique, tout de noir vêtu comme à son habitude. Deux des serveurs de monsieur Lard l'escortèrent jusqu'à sa table et, aussitôt qu'il fut assis, des flûtes de champagne rosé et des assiettes serties de pierres précieuses roses, garnies du délice de madame Pamplemousse, furent servies. Tout en bavardant et en buvant, les dîneurs y goûtèrent. Alors, un grand silence s'abattit sur l'assemblée.

La foule qui attendait dehors se tut également, surprise par ce calme presque surnaturel. Car tous les convives, jusqu'au dernier, avaient cessé de parler au même instant et regardaient dans le lointain avec une expression étrange.

Dans les cuisines, chacun s'interrompit dans ses activités pour aller regarder à travers les vitres. Les passants du quartier, eux aussi, s'arrêtèrent pour observer, et leurs conversations moururent également. Les voitures qui circulaient dans la rue s'immobilisèrent afin de laisser descendre leurs passagers curieux de savoir ce qui se passait, et bientôt toute la ville de Paris se trouva figée dans l'attente. Durant un long moment, on n'entendit plus que le vent dans les arbres. C'est alors qu'un vénérable cuisinier de grand renom, âgé de cent quinze ans, cessa de mâcher, déglutit et se leva.

– Ah... dit-il, à présent je comprends.

Après quoi il se rassit, et mourut sur-le-champ, mais avec une expression de bonheur extrême. Puis, soudain,

tous les convives trinquèrent comme un seul homme. On riait, on chantait, on dansait ; certains versaient des larmes, d'autres demandaient en mariage leur voisine de table.

Plus tard dans la soirée, sur un balcon suspendu au-dessus des toits de Paris, Camembert gronda. Madame Pamplemousse et lui partageaient une bouteille de vin de pétales de rose.

– Monsieur Lard n'est qu'un gros cochon de voleur ! pestait le chat. Il va devenir riche et célèbre, et tout cela grâce à vous !

Madame Pamplemousse tirait sur sa pipe.

– Regarde en bas, dit-elle. Ce soir, les gens sont heureux. Ils rient, ils chantent, ils se disent que tout est possible, et, oui, c'est grâce à ma cuisine. Je suis heureuse pour eux. Mais voir

tout Paris débouler à ma porte pour en redemander…
(Elle haussa les épaules.) Ce n'est pas pour moi. Que
monsieur Lard en profite si ça lui chante.

— Vous savez quoi? Je vais le tuer, poursuivit
Camembert en lançant des éclairs avec son œil unique.

Madame Pamplemousse secoua la tête.

— Ça ne me pose pas de problème, insista le chat.
Ça me ferait plaisir.

— Ce n'est pas nécessaire. Et puis ma recette a des
effets mystérieux; on ne sait jamais ce qui va arriver.
Allez, sois gentil, conclut-elle en le chassant doucement
de la main. Je voudrais prendre mon bain de soleil en
paix.

Si bien que Camembert, avec un dernier grognement, monta en boudant jusqu'au sommet des toits,
où il avait rendez-vous avec sa petite amie, Chanterelle.
Elle, au moins, le comprendrait.

Chapitre six

Comme l'avait prédit madame Pamplemousse, les journalistes vinrent se presser à la porte de monsieur Lard. Il apparut en couverture de *Paris Match* et passa au journal télévisé. Au grand étonnement de tous, l'autre invité des studios était monsieur Langoustine, qui n'accordait jamais la moindre interview. Le présentateur lui demanda ce que la cuisine de Lard avait de si extraordinaire.

Tout d'abord, le critique ne répondit pas. Le journaliste attendit avec attention, car, à Paris, Langoustine était vénéré à l'égal d'un philosophe, d'un gourou, d'un grand prêtre. Lorsqu'il parla enfin, le présentateur du journal fut surpris d'entendre une voix douce et flûtée qui évoquait plus un pipeau ou un haut-parleur qu'un être humain.

— Eh bien... commença Langoustine. Monsieur Lard doit être très malin, car vous me demandez ce que sa cuisine a de si extraordinaire. Au début, j'aurais été tenté de répondre... rien. À première vue, le restaurant de Lard est un restaurant comme les autres, à ceci près que la décoration est ignoble. Malheureusement, les établissements de ce genre ne manquent pas à Paris. La ville en est pleine à craquer, si je puis dire.

Le présentateur eut un rire poli. Langoustine le fixa pendant un petit moment avant de reprendre :

– Mais ensuite j'ai goûté à sa cuisine, et... Ah là là ! Quelle est cette mystérieuse saveur ? me suis-je demandé. D'où peut bien venir cette succulence miraculeuse ? Il semble donc que monsieur Lard ait un secret. Un très grand secret. Un *ingrédient* X.

Langoustine se tourna lentement vers monsieur Lard, qui se tortilla sur son siège.

– Je me demande bien ce que c'est, conclut-il.

– C'est précisément le mystère que tout Paris s'efforce d'élucider, enchaîna le journaliste. Monsieur Lard, avez-vous l'intention de le révéler ?

Lard eut un rire creux.

– Vous voulez savoir ce que c'est ? Ce secret, cet ingrédient X ? (Il marqua un silence pour renforcer son effet, puis se tapota le front.) Tout est là-dedans !

Mais la vérité, terrible pour lui, c'est qu'il n'en savait pas plus que quiconque sur cet ingrédient mystère.

Car la recette n'était pas la sienne ; elle appartenait à madame Pamplemousse. Et il était bien décidé à la lui extorquer.

Chapitre sept

Le lendemain de ce jour mémorable, Lard s'éveilla d'un sommeil agité. Dans ses cauchemars, il avait vu monsieur Langoustine, dont les bras étaient des pinces énormes, lui faire passer un interrogatoire dans une caverne sous-marine. Au moment le plus affreux, Langoustine avait retiré ses lunettes noires pour révéler... il ne saurait jamais quoi, car il s'était réveillé.

Après une telle nuit, il était encore plus suant

que d'habitude. Il se récura les aisselles avec un savon violemment parfumé et se recouvrit d'after-shave ; après quoi il enfila son plus beau costume — à fines rayures vert menthe et roses — et huila sa moustache. Car monsieur Lard avait un plan.

Son plan était superbe de simplicité. Il se serait giflé de ne pas y avoir pensé plus tôt. Dans la boutique, il avait noté que madame Pamplemousse était seule. Elle avait ce misérable chat, bien sûr, mais pas de personnel. À l'évidence, c'était au-dessus de ses moyens. Par conséquent, comment pourrait-elle refuser une jeune fille charmante et douce, au sourire adorable, prête à travailler gratuitement pour elle ? Autrement dit, il lui présenterait Madeleine comme volontaire. Une fois dans les murs, la fillette serait son espionne.

Lorsqu'il eut fini de huiler sa moustache, Lard se rua dans la chambre de Madeleine en braillant à tue-tête «Quelle belle journée!» et en tapant des pieds comme un danseur de claquettes, assez fort pour secouer le plancher. Puis il tira sa nièce de son lit sans ménagement et lui intima de s'entraîner à sourire. Il l'obligea également à revêtir un déguisement de fée parfaitement ridicule, avec des ailes argentées.

– Je ne suis pas dupe, affirma-t-il en dégustant son petit déjeuner – une grosse tranche de lard bien grasse, devenue grise à force de bouillir. Je me méfie toujours des gens discrets comme toi. Tu as l'air gentille et polie, vue de l'extérieur, mais je sais bien qu'au fond tu n'es qu'une hypocrite.

Son ricanement souleva instantanément le cœur de Madeleine. Et

pourtant elle n'avait même pas encore goûté au lard — qui était coriace et filandreux.

— Mais je te laisse une chance de te racheter, une chance de mettre à profit ta sournoiserie.

Il approcha de la fillette sa face luisante et transpirante.

— Tu vas retourner dans la boutique et travailler pour cette femme. Et tu as intérêt à te tenir à carreau, elle n'est pas bonne pâte comme moi. Un faux pas, et elle te hachera menu pour faire des saucisses !

Madeleine se remémora l'obscurité lugubre de la boutique et la mystérieuse femme en noir qui surgissait sans crier gare. Le plus terrible était que son oncle avait raison : elle se sentait réellement hypocrite, car s'il servait un mets préparé par cette femme en se faisant passer pour son inventeur, c'était entièrement sa faute. C'était à cause d'elle que tout avait commencé. Dieu seul savait ce que lui ferait la dame si jamais elle l'apprenait.

– Je veux que tu ouvres l'œil, et le bon. Il y a là-bas une spécialité très particulière. Elle n'a pas de nom, aucun ingrédient ne figure sur l'étiquette. Je veux que tu découvres comment elle la prépare, tout ce qu'elle y met, jusqu'à la dernière pincée de sel, tu m'entends?

– Oui, mon oncle, souffla Madeleine d'une voix faible.

– C'est bien! (Il lui pinça affectueusement la joue.) Et surtout n'oublie pas de sourire!

Monsieur Lard traîna ensuite sa nièce le long de la Seine en la tenant fermement par la main. Le spectacle de ce gros bonhomme se promenant avec une fillette en costume de fée arrachait aux passants des sourires

 attendris. Ils finirent par tourner dans la ruelle sinueuse qui débouchait dans l'étroite rue pavée.

Trouvant la porte ouverte, ils entrèrent. Il leur fallut un

petit moment pour s'accoutumer à la pénombre, mais les lieux semblaient déserts. Monsieur Lard actionna la sonnette posée sur le comptoir, et comme celle-ci ne sonnait pas, il recommença plusieurs fois.

    — Votre dîner d'avant-hier s'est bien passé, monsieur?

La voix, qui avait surgi de l'ombre, arracha à Lard une exclamation de surprise. Mais, aussitôt, la femme apparut juste devant lui.

    — Madame! lança-t-il de sa voix la plus mielleuse, ou plutôt la plus huileuse. Quel plaisir de vous revoir. Si je puis me permettre, vous êtes ravissante. Mais avant-hier soir! nous nous sommes régalés; ma mère s'est délectée de votre petite recette.

    — Vous me voyez ravie qu'elle l'ait appréciée.

    — Appréciée! Elle s'en est pourléché les babines, oui! Mais vous m'avez demandé de vous payer ce plaisir à sa juste valeur. C'est pourquoi je vous amène la jeune fille que voici.

— C'est votre paiement, monsieur?

— Mais oui, madame. Je vous présente ma nièce, Madeleine.

— Je ne suis pas sûre de comprendre. Me proposez-vous de la préparer en terrine?

À ces mots, le sang de Madeleine se glaça, mais son oncle éclata d'un rire tonitruant.

— Comme il vous plaira, madame. Pour ma part, j'imaginais plutôt qu'elle pourrait vous donner un coup de main. Elle sait cuisiner, elle sait briquer et récurer, croyez-moi, elle saura faire reluire votre boutique comme un sou neuf.

 — Comme vous l'avez peut-être remarqué, monsieur, ma boutique n'a jamais rien eu d'un sou neuf, et je doute fort que cela arrive jamais.

— Allons, je ne vais pas y aller par quatre chemins. Vous n'êtes pas riche ; vous n'avez pas les moyens d'embaucher. Imaginez les services que ma nièce pourrait vous rendre. Après tout, nous savons quelle menace représentent les rats dans ce quartier.

— Nous n'avons aucun problème avec les rats, objecta madame Pamplemousse.

Au même instant, Camembert éructa grossièrement et se lécha les moustaches.

Lard tordit son cou de taureau pour le foudroyer du regard. Il dut prendre sur lui pour ne pas saccager la boutique. Mais il se contint et sourit.

— Je vous apprendrai, madame, que j'ai récemment sympathisé avec nombre de personnages puissants de la télévision et du gouvernement. (Son sourire se fit plus graisseux que jamais.) Ils m'ont affirmé qu'une boutique comme la vôtre pouvait être fermée sur un simple soupçon de manquement à l'hygiène.

À cela, madame Pamplemousse ne répondit pas immédiatement. Madeleine n'aurait pu en jurer, mais il lui sembla que la femme retournait une idée dans sa tête, qu'elle prenait lentement une décision. Puis, avec l'impression fort désagréable que quelqu'un lui pressait un citron dans l'estomac, elle se rendit compte que madame Pamplemousse l'observait à nouveau. Rassemblant son courage, et malgré sa méfiance, elle soutint son regard.

La dame avait les yeux les plus étranges que Madeleine ait jamais vus. Il étaient d'un bleu violacé très profond, la couleur de la lavande sauvage. On ne pouvait pas dire qu'ils soient désagréables, ou menaçants,  mais ils n'étaient pas vraiment bienveillants non plus. Et là, miracle : madame Pamplemousse sourit.

– Très bien, monsieur. Puisque vous me le proposez de manière si charmante, j'accepte. Votre nièce pourrait, en effet, m'être bien utile.

La satisfaction illumina les traits de monsieur Lard.

– Excellente décision, madame. Elle ne vous décevra pas, n'est-ce pas, Madeleine?

– Bien sûr que non, mon oncle.

– À la moindre entourloupe, n'hésitez pas à venir me voir, ajouta Lard pour madame Pamplemousse en se frappant la paume du poing. J'aurai tôt fait de la corriger.

– Je vous remercie, mais ce ne sera pas nécessaire, répondit-elle d'un ton cassant.

– Vous ne me croyez pas, madame? (Lard se rapprocha pour la dominer de son imposante corpulence.) J'ai l'air doux, comme ça, mais je ne me laisse pas marcher sur les pieds.

Très haut au-dessus de sa tête résonna un tout petit bruit, un bruit de bouchon que l'on retire d'un goulot. Un instant plus tard, Lard sentit des gouttes lui mouiller le crâne.

 — Bon sang! s'écria-t-il. Même votre toiture pourrie a des fuites!

— Hélas, monsieur, dit madame Pamplemousse. Ce n'est pas mon toit qui fuit. Pour une raison mystérieuse, une bouteille s'est renversée sur la plus haute étagère et vous dégouline sur la tête. Pour comble de malchance, cette bouteille contient de l'huile concentrée de «démon vert», un petit piment extraordinairement virulent, qui poussait autrefois au Pérou et que les Incas vénéraient à l'égal d'un dieu. Sa puissance est telle qu'une simple goutte est plus brûlante que le curry le plus épicé au monde. Je suis au regret de vous informer, monsieur, que plusieurs de ces gouttes viennent, je crois, d'atterrir sur votre crâne.

Avant même qu'elle eût terminé sa phrase, Lard avait les naseaux fumants; ses yeux avaient viré au vert vif et il courut tout droit à la porte en meuglant comme un taureau. Alors, aussi mystérieusement qu'elle avait commencé, la fuite se tarit. Levant la tête, Madeleine crut apercevoir le mouvement vif et discret d'un long corps blanc derrière les bouteilles de l'étagère du haut. Puis le silence retomba, et la fillette constata qu'elle était à nouveau seule.

Chapitre huit

Madame Pamplemousse et son chat avaient disparu sans laisser de trace. Madeleine n'avait pourtant levé les yeux qu'un bref instant; comment avaient-ils pu se volatiliser si vite? Elle ouvrit la bouche pour les appeler, mais se ravisa. C'était peut-être un tour qu'ils lui jouaient. Peut-être la soupçonnaient-ils déjà d'être une espionne. Elle frémit à cette idée.

Ce n'était pas tout; quelque chose, dans cette

boutique, donnait la chair de poule. C'était en partie dû aux ombres projetées par les flammes des chandelles qui dansaient sur les murs, longues et élancées ; c'étaient aussi les marchandises, qui semblaient presque vivantes : on avait l'impression que les fromages soupiraient doucement, et que les chapelets de saucisses chuchotaient de leur voix sèche et gorgée d'ail.

Comme ses yeux s'accoutumaient à l'obscurité, Madeleine examina plus attentivement les étagères. Chacune était entièrement couverte de bocaux en verre coloré et brillant ; derrière chaque rangée, on en découvrait une autre, et encore une autre, à perte de vue. Les étagères elles-mêmes s'empilaient pêle-mêle jusqu'au plafond. L'une était chargée de toutes sortes de moutardes, dans toutes les teintes de jaune. Au-dessus, un rayonnage sombre et caverneux s'enfonçait dans les ténèbres, et c'est seulement après avoir dénombré des olives noires, des truffes du Périgord, du caviar, des conserves de noix du XIVe siècle, des escargots des bois farcis à la chair à saucisse, des têtes de python à la réglisse et des yeux de calamar géant au vinaigre balsamique que la fillette comprit que tout, à cet étage-ci, était noir.

Reculant de quelques pas, elle avisa une autre planche, sur laquelle chaque bouteille, chaque bocal contenait quelque chose de vert.

Madeleine dénicha une vieille échelle branlante, sur laquelle elle se hissa pour mieux embrasser du regard les rayonnages enchevêtrés qui l'entouraient; elle découvrit que ceux-ci composaient un véritable carrousel de couleurs mouvantes, chacune se fondant progressivement dans la suivante, toutes si subtilement agencées qu'aucune ne prenait le dessus ou ne jurait avec ses voisines. Au contraire, elles formaient un dégradé gracieux : de l'éclat mordoré des filets de barracuda au beurre aillé aux verts tendres des sauterelles à l'huile d'estragon;

de l'opulent violet des cuisses de grenouille en croûte de lavande à la pourpre somptueuse des cœurs de vélociraptor au vin rouge. Et là, tout en haut, sur l'étagère la plus élevée, trônait un flacon minuscule dans lequel toutes les teintes tournoyaient, s'entremêlaient, miroitaient, comme si des flammes tourbillonnaient dans le verre.

D'instinct, Madeleine comprit ce qu'elle voyait : la spécialité particulière dont son oncle convoitait la recette. Le secret se trouvait peut-être dans ce pot. Peut-être même pouvait-on lire les ingrédients sur l'étiquette. La fillette fut soudain envahie par un puissant désir de le saisir et de s'enfuir. Elle n'aurait plus qu'à l'apporter à son oncle, et tout serait terminé. Elle serait libre.

Sans prendre le temps de réfléchir, elle tendit la main.

Et le regretta aussitôt. L'échelle, qui n'était pas tout à fait assez haute, vacilla dangereusement. Madeleine tenta désespérément de garder l'équilibre ; elle parvenait

tout juste à se rattraper, lorsqu'un crachement sifflant retentit au-dessus de sa tête. C'était Camembert, juché sur l'étagère supérieure. La fillette poussa un cri et lâcha le rayonnage auquel elle se cramponnait. L'échelle oscilla un instant avant de dégringoler vers le sol.

Et là, à l'endroit précis où la fillette aurait dû atterrir, se tenait madame Pamplemousse, qui la rattrapa juste à temps. Pour être exact, elle rattrapa les ailes de fée, lesquelles se détachèrent du dos de la robe, si bien que Madeleine fit tout de même une chute, mais d'une très faible hauteur.

– Eh bien, mademoiselle, on visite la boutique?

– Oui, madame, répondit Madeleine, quelque peu secouée.

– Vous avez l'œil, à ce que je vois. Très bien. Je me réjouis également que vous ayez perdu ces ailes ridicules. L'un dans l'autre, vos débuts sont tout à fait prometteurs.

– Merci, madame.

– Ne faites pas attention à Camembert. Il ne fera aucun effort pour se montrer accueillant. Il est comme ça, je n'y peux rien. En outre, il vous soupçonnait peut-être de vouloir espionner.

À ces mots, Madeleine sursauta et rougit violemment. Elle se hâta de baisser les yeux. Mais lorsqu'elle les releva, madame Pample-mousse semblait n'avoir rien remarqué. Elle s'activait au rayon des fromages, déballant un énorme chèvre enve-loppé dans une feuille verte encore plus gigantesque.

– Eh bien, mademoiselle. Êtes-vous prête?

Et à dater de cet instant, Madeleine fut officiellement l'assistante de madame Pamplemousse. En commençant par le chèvre, elle apprit tout ce qu'il fallait savoir sur les six cent cinquante-trois variétés de fromages en vente dans la bou-tique, y compris un bleu couvert

de moisissures datant de la Révolution française et une substance coulante, molle et visqueuse, à croûte brun-vert, dont Jeanne d'Arc raffolait en son temps. Ce fromage-là émettait une puanteur si ineffable qu'il fallait l'enfermer sous un lourd couvercle en marbre, épais de plusieurs centimètres, mais même ainsi Madeleine était certaine de le voir parfois remuer, et, une fois, elle l'entendit éructer doucement.

Au fond de la boutique, une porte basse menait à une petite cuisine au sol de pierre qui contenait une grande table en bois sombre. C'était là que Madeleine travaillait tous les jours ; elle y apprenait à lever les filets des anchois pour les faire mariner dans des huiles et des épices, à fumer les anguilles, à préparer le pâté de serpent de mer et à extraire le nectar des violettes.

Madame Pamplemousse lui donnait des instructions succinctes mais précises, et

Madeleine ne tarda pas à découvrir que Camembert assurait une grande part des prépa‑ rations. Il était particulièrement habile avec le fouet : il montait sur un tabouret, se dressait tout debout pour atteindre la table, et là, d'une seule patte, fouettait tout

ce qu'il y avait à fouetter à une vitesse stupéfiante. Il était incroyablement rapide aussi pour hacher les aliments. Madeleine elle‑même était assez douée pour cette tâche, mais elle se méfiait de certains couteaux, qui semblaient capables de vous trancher le doigt en un clin d'œil. Si jamais elle ralentissait, Camembert se renfrognait et claquait de la langue avec un dédain

évident, si bien qu'elle s'efforçait d'accélérer.

Malgré la crainte qu'ils lui inspiraient, Madeleine se ren‑ dit bientôt compte qu'elle aimait bien madame Pamplemousse et son chat. Ils avaient beau être effrayants, jamais ils ne la maltraitaient ni ne lui criaient après. Chaque jour, à son arrivée, la boutique était déserte, mais une petite chocolatière en cuivre l'attendait, pleine de chocolat chaud exactement à la bonne température. Alors, ouvrant la porte sur la rue ensoleillée, elle s'asseyait sur les marches pour le déguster dans la fraîcheur du jour nouveau.

Lorsqu'elle travaillait au *Cochon hurleur*, Madeleine avait toujours regretté, au réveil, de ne pas pouvoir se rendormir. Mais désormais elle avait hâte de sortir du lit chaque matin. Les tâches qu'on lui confiait à la boutique étaient bien plus complexes qu'au début, et cependant elle avait de moins en moins besoin de réfléchir à ce qu'elle faisait. Son instinct semblait s'aiguiser et s'affiner.

À l'évidence, cela n'avait pas échappé à madame Pamplemousse, car celle-ci commença à la traiter différemment : de moins en moins comme une enfant, et de plus en plus comme une égale – avec respect. Un respect, songeait Madeleine avec culpabilité, dont elle la paierait bientôt en la trahissant.

Le jour, elle s'efforçait de l'oublier, mais quand venait le soir, son cœur se serrait à l'idée que son oncle allait l'interroger. Car elle travaillait là depuis deux semaines, et la précieuse recette demeurait toujours introuvable.

Au fond de la boutique, dans le coin le plus reculé de la petite cuisine, un escalier en colimaçon à rampe de fer forgé plongeait jusqu'à l'étage du dessous. À une occasion, Madeleine en avait descendu quelques marches à pas de loup, et avait aperçu en bas un couloir qui menait à une porte.

Elle savait que c'était là, derrière cette porte, que madame Pamplemousse élaborait le plus fabuleux de ses délices.

Chapitre neuf

Monsieur Lard commençait à désespérer. Le restaurant était fermé depuis des jours – l'homme se refusait à rouvrir tant qu'il n'aurait pas la recette secrète. Mais plus le temps passait, plus le Tout-Paris s'agitait pour réclamer des tables. Même le président de la République s'était manifesté, et monsieur Lard avait été forcé de lui refuser l'entrée.

Il se montra aussi de plus en plus soupçonneux,

ayant remarqué que sa nièce paraissait bien heureuse, ces derniers temps.

– Tu t'amuses, hein? Tu t'entends bien avec tes nouveaux amis? Ne t'en fais pas, va! Tu seras bientôt de retour ici. Une montagne d'assiettes sales t'attend en cuisine.

Sa bonne humeur était revenue. Il se rendit compte que Madeleine lui manquait : il avait oublié quel plaisir il prenait à la rendre malheureuse.

– Je t'accorde encore une journée, une seule. Si je n'ai pas la recette d'ici à demain soir, je veillerai personnellement à ce que la boutique de mademoiselle Pamplemousse soit fermée. Je la mettrai sur la paille, comme ça!

Et il fit claquer ses gros doigts roses.

Le lendemain matin, Madeleine se réveilla malade

d'angoisse. Ce n'était pas seulement qu'elle aimait bien madame Pamplemousse et répugnait à la trahir. C'était aussi que la dame la terrifiait, et son chat encore davantage. Et le pire était ce sentiment affreux que tout était sa faute, depuis le début.

Elle savait que son oncle s'était fait des amis puissants. En ce moment même, il était en pourparlers avec une multinationale alimentaire, sobrement appelée «MANGER», qui lui proposait cent millions d'euros en échange de la recette. Avec une telle somme, il pourrait mener la grande vie.

Madeleine redoutait ce qui arriverait si son oncle ne mettait pas la main sur la recette secrète, mais elle espérait au moins qu'il se garderait de ruiner madame Pamplemousse, car ce serait un mauvais calcul de sa part. À regret, elle se décida à agir.

La semaine précédente, en cherchant de la confiture de pétales de rose bleue, elle avait repéré quelque chose sous les étagères. Elle était tombée sur une rangée de

 vieux flacons poussiéreux contenant des champignons préhistoriques au vinaigre jurassique. Visiblement, personne n'y avait touché depuis des années. Sans le faire exprès, elle en avait déplacé un avec son pied; une fois le nuage de poussière dissipé, elle avait aperçu un petit rai de lumière qui traversait le plancher. Cette lumière venait d'une pièce en contrebas.

Au même instant, elle avait entendu un léger bruit de pas dans l'escalier en colimaçon et, redoutant la présence de Camembert, s'était hâtée de remettre le flacon en place.

À présent, elle n'avait plus le choix. Il lui faudrait guetter attentivement le bon moment, attendre d'être seule, et retourner vers ce petit rayon de lumière.

Par chance, le matin qui suivit l'ultimatum de Lard, madame Pamplemousse annonça qu'elle cuisinerait toute la journée au sous-sol et demanda à Madeleine de tenir la boutique seule. Camembert rôdait furtivement, sans la quitter de son œil unique ; mais, constatant que la fillette ne faisait rien de mal, il finit par descendre à son tour.

Le moment était venu, et il ne fallait pas le laisser passer.

Madeleine patienta encore une bonne demi-heure, pour s'assurer que ni l'un ni l'autre ne remontait. Puis, rassemblant tout son courage, elle se glissa sous les étagères. Très lentement, très prudemment, elle souleva un des flacons. Elle s'y employa avec minutie, du bout des doigts, de manière à ne faire aucun bruit, et pourtant les bouteilles s'entrechoquèrent, à peine. Soufflées dans du verre ancien, elles rendaient un son léger mais clair. Madeleine se figea, le flacon à la main, et attendit. Mais rien ne se passa : on n'entendait que l'infime chuchotement des chandelles et les faibles soupirs desséchés des saucisses. Un filet de sueur coulant le long de son échine, Madeleine reposa le flacon à l'écart ; à sa place, elle trouva un trou dans le plancher. Baissant la tête, elle y colla son œil et observa la pièce en dessous.

C'était une pièce nue, presque vide, à l'exception d'un foyer en pierre et d'une vieille marmite en fonte. Au centre était installée une longue table de bois avec une planche à découper posée dessus, ainsi qu'une collection de couteaux tout à fait menaçants. Il n'y avait plus aucun doute. C'était bien la cuisine dérobée, la pièce dissimulée derrière la porte fermée.

Le cœur de Madeleine fit alors un bond, car une silhouette sombre traversa soudain le sol en dessous d'elle. Madame Pamplemousse ! La fillette s'efforça de contrôler sa respiration et les battements frénétiques de son cœur, qui lui semblaient faire un raffut de tous les diables. Mais madame Pamplemousse n'avait apparemment rien

 remarqué. Elle se déplaçait
toujours de son pas vif dans la
cuisine.

Elle était entrée par un passage voûté, lequel devait mener
dans les resserres caverneuses qui
s'étendaient sous la boutique. Madame Pamplemousse
ne cessait d'y disparaître et d'en revenir, chargée de
provisions d'aspect de plus en plus étrange.

Elle en posa une partie sur la planche à découper,
après quoi Camembert, un énorme hachoir à viande
dans la patte, se mit en devoir de tout détailler en
petits morceaux.

Pendant ce temps, madame Pamplemousse mélan-
geait des ingrédients dans une jatte : un trait de ceci,
une pincée de cela, le tout exécuté avec une rapidité
et une délicatesse extrêmes. Le chat et sa maîtresse
n'échangeaient pas un mot, mais ils travaillaient à
l'unisson, tels des musiciens en parfaite harmonie.

Madeleine écarquillait son œil pour voir ce qu'ils utilisaient et s'efforçait de comprendre la recette, mais leurs gestes étaient si rapides qu'elle n'arrivait pas à suivre. Aussitôt qu'un aliment était haché ou puisé dans un bocal, il était versé dans la jatte, et déjà ils tendaient la main ou la patte vers le suivant. Et puis, subitement, ils s'arrêtèrent.

Ils s'arrêtèrent et se figèrent comme des statues. Madeleine retint son souffle, mais elle ignorait combien de temps elle pourrait tenir sans respirer, et elle pria pour qu'ils se remettent à cuisiner. En vain. Au contraire, madame Pamplemousse leva la tête, la regarda bien en face, à travers le trou dans le plancher, et dit :

– Descendez donc, mademoiselle. Vous verrez mieux d'ici.

Madeleine en sursauta si fort qu'elle se cogna la tête contre l'étagère. Elle se dégagea tant bien que mal et se rua vers la porte ouverte. Mais elle n'alla pas loin : dans une étourdissante démonstration de ses capacités d'athlète, Camembert bondit dans l'escalier et se balança à un bouquet de thym suspendu au plafond pour atterrir pile devant elle, toutes griffes dehors.

Madeleine sut alors qu'elle était condamnée. Elle obéit en tremblant au chat blanc, qui l'escorta dans l'escalier en colimaçon, puis dans le couloir sombre, jusqu'à la cuisine souterraine. En voyant madame Pamplemousse, elle ne trouva rien d'autre à faire que se jeter à ses pieds. Elle le regretta aussitôt, car le sol de pierre était très dur et elle se meurtrit les deux genoux.

– Pitié ! clama-t-elle. Je ne l'ai fait que pour vous sauver ! Mon oncle m'a dit qu'il vous détruirait. Il a dit que si je ne lui apportais pas la recette, il vous mettrait sur la paille, comme ça !

Et elle fit claquer ses doigts.

Puis, la tête basse, elle attendit son châtiment. Elle ne

doutait pas qu'il serait terrible, mais dans le même temps elle était étrangement soulagée d'avoir enfin confessé sa faute. Et donc, elle attendit.

Et attendit.

Et là, madame Pamplemousse éclata de rire.

– Ma chère Madeleine, dit-elle. Avant tout, sois certaine que nous ne te reprochons rien. Nous connaissons ton oncle et son plan ridicule ; rien n'échappe à l'œil de Camembert, tu sais. À vrai dire, je te trouve plutôt courageuse d'avoir tenté de nous espionner.

Camembert, pour sa part, feula comme un tigre, prêt à bondir.

– Tais-toi! lui lança sèchement madame Pamplemousse.

Renversant la tête en arrière, il entreprit de faire sa toilette.

– Ton oncle rêve de me voler quelque chose : la recette du plus-fabuleux-délice-au-monde. Eh bien, la voici.

Et elle tendit à Madeleine une feuille de papier jauni, sur laquelle une liste était d'abord inscrite, à l'encre violette.

Madeleine s'empara du papier et l'examina attentivement.

— Je ne comprends pas. C'est tout ?

Car ce qu'elle avait d'incroyable, cette liste, c'est qu'elle ne comprenait pas le moindre ingrédient incroyable. Certains étaient assez peu répandus, mais tout de même faciles à trouver dans une ville comme Paris.

— Oh oui, c'est tout. Autrefois, j'utilisais du bouillon de poulpe géant, mais comme je n'en avais pas sous la main cet été, j'ai dû m'en passer. Une petite amélioration.

— Mais si vous lui donnez la recette… alors… il aura gagné, n'est-ce pas ? bredouilla Madeleine d'une voix tremblante.

Madame Pamplemousse sourit.

— Ton oncle est un imbécile. Il veut me voler le plus-fabuleux-délice-au-monde, et il s'imagine qu'il suffit pour cela de se procurer la recette, et de... (là, elle pinça les lèvres au point que Madeleine crut qu'elle allait cracher)... de la copier!

Camembert cracha pour elle, une grosse boule de poils qui roula jusqu'aux pieds de la fillette.

— Ce délice ne peut pas être volé, car il est fait de ma main, avec l'assistance de mon collaborateur Camem-bert. Les ingrédients que j'utilise n'ont rien de spécialement remarquable. Exquis, oui, et délicieux, mais ce ne sont que des choses. C'est le cuisinier lui-même qui donne de la saveur à sa cuisine : son caractère, ses rêves, ses sourires, ses larmes. Ton oncle est une brute. Sa cuisine aura toujours ce goût-là. Je peux lui donner la recette, mais il faudrait alors avertir ses clients : il n'est pas certain qu'ils aimeront ce qu'on leur servira...

Entre-temps, Camembert avait ciselé d'autres ingrédients, qu'il faisait maintenant mijoter à feu doux. Il

préleva une cuillerée de la préparation, qu'il
haussa jusqu'aux lèvres de madame
Pamplemousse. Celle-ci goûta, puis
secoua la tête, une fois. Camembert ajouta des épices, une pincée
de quelque chose de jaune et une
pincée de quelque chose de rouge.

À les voir si absorbés par leur tâche, Madeleine son-
gea qu'il était temps de prendre congé.

– Alors c'est tout, madame? demanda-t-elle à voix
basse.

Madame Pamplemousse était concentrée sur la marmite. Elle leva la tête.

– Mm? Oh oui, merci beaucoup, ce sera tout.

– Alors au revoir, madame.

– Au revoir, Madeleine.

Celle-ci attendit encore une seconde ou deux, pour
voir si la femme ajouterait quelque chose. Mais comme
il n'en était rien, elle tourna les talons.

– Oh… encore une chose, dit pourtant madame Pamplemousse au moment où elle atteignait la porte. Tu aimerais peut-être goûter ceci avant de t'en aller.

Et elle lui tendit un petit morceau de pain sur lequel elle avait tartiné un peu du contenu de la marmite. En refroidissant, il changeait de couleur. Lorsque Madeleine prit le pain que lui offrait madame Pamplemousse, la substance était d'un vert mousse pâle, mais elle se modifia sous ses yeux. Elle passa d'abord par un rouge sombre et chaud, une couleur de braises, puis par un jaune de miel, avant

de prendre le bleu vif d'une queue de paon, et enfin un mauve profond de lavande.

– C'est prêt, annonça madame Pamplemousse.

Dans ses yeux miroita fugacement la même teinte lavande.

Plus tard, en repensant à ce moment, Madeleine tenterait de se rappeler le premier instant où elle avait goûté à la préparation, mais en vain. Car y goûter, c'était déjà revivre un souvenir : tous les moments les plus doux de sa vie l'avaient soudain traversée telle une bouffée d'air frais. Les saveurs elles-mêmes, légères et pourtant intenses, subtiles et pourtant rafraîchissantes, l'avaient comme réveillée d'un long sommeil. Et tout le temps qu'elle avait passé à avoir peur — peur de faire la sale besogne de son oncle, d'espionner pour son compte — lui parut soudain lointain, comme appartenant à une autre. Elle ne se sentait pas changée, non ; au contraire, elle se sentait plus complètement elle-même. Et elle comprit alors à quel point elle aimait cuisiner. Plus que tout. Elle avait perdu cela de vue en fréquentant *Le Cochon hurleur*, à cause de son oncle qui rendait la cuisine si déprimante. Monsieur Lard ne rêvait que de célébrité, il voulait forcer le monde entier à l'aimer. Madeleine, pour sa part, aimait la cuisine pour elle-même, comme on aime une personne.

– C'est en toi à jamais.

Madeleine avait fermé les yeux, mais elle les rouvrit et vit que madame Pamplemousse lui souriait.

– Personne ne pourra te l'enlever.

– Mais est-ce que je sais... est-ce que je sais vraiment...?

Madeleine ne trouvait plus ses mots.

– Si tu sais cuisiner? Bien sûr. Non seulement cela, mais tu as un don, jeune fille. Un don exceptionnel. Je l'ai su à l'instant où je t'ai vue.

– Mais comment, madame?

– Parce que tu es des nôtres. Et les gens comme nous doivent se serrer les coudes. Mes recettes affectent ceux qui y goûtent de différentes manières. Certains dansent, d'autres chantent. Toi, tu t'es rappelé qui tu étais, voilà tout.

– C'est fabuleux.

– Naturellement. C'est pour cela qu'on l'appelle le plus-fabuleux-délice-au-monde. Mais le temps presse. Ton oncle attend sa recette. Donnons-lui ce qu'il veut. Demain soir, il la servira à ses clients. Mais avant, il est temps que tu inventes ta propre recette. Sers-la demain en plat de résistance, et nous verrons laquelle les clients préfèrent. Allez, au travail!

Et elles travaillèrent, oui, toute la nuit. Madeleine maria les saveurs, d'abord d'une main hésitante, puis avec de plus en plus d'assurance. Elle se doutait depuis longtemps que les escargots, la réglisse, le laurier et l'oseille constituaient une bonne base pour un jus. Elle fit réduire tout cela longtemps, jusqu'à obtenir une belle texture

 onctueuse, puis ajouta d'autres ingré-
dients. Elle découvrit qu'elle n'avait
pas besoin de réfléchir beaucoup pour
savoir quoi employer ; son esprit était
plus aiguisé que jamais, et elle savait d'instinct comment une pincée d'épices, un tour de moulin à poivre
ou un zeste se combinaient au reste pour donner la
saveur voulue. Ses mains volaient légèrement sur les étagères, avec l'aide constante de madame Pamplemousse
et de son chat (ou plutôt de madame Pamplemousse
seule, car Camembert ne fit rien d'autre que lécher
son pelage), jusqu'au moment où, enfin, elle eut achevé
son délice personnel. Pour fêter l'événement, tous trois
prirent le petit déjeuner sur le balcon haut perché de
madame Pamplemousse et trinquèrent avec du chocolat
chaud en regardant le jour se lever sur Paris.

Madeleine était prête. Elle avait en main les deux
recettes : celle du plus-fabuleux-délice-au-monde et celle
de sa propre création. Alors, madame Pamplemousse

lui souhaita bonne chance et Camembert se proposa pour l'accompagner le long de la Seine, dans la brume matinale, jusqu'au *Cochon hurleur*.

Chapitre dix

Lorsque les Parisiens apprirent que *Le Cochon hurleur* allait ouvrir à nouveau, le téléphone du restaurant se mit à sonner sans interruption. La demande était telle que seuls les plus riches pouvaient espérer être servis ; et même en y mettant le prix, mieux valait être pistonné. En entendant la nouvelle, le P-DG de la compagnie « MANGER » fit faire demi-tour à son jet privé. Le président de la République, lui, confia tous ses rendez-vous à un sosie pour ne pas manquer l'événement.

Dès huit heures ce matin-là, le personnel de Lard au complet était au marché pour se procurer les ingrédients nécessaires. Le restaurateur s'étonna de la simplicité de la recette.

– Tu veux dire que c'est tout? Rien d'autre?

– Rien que ce qui est sur la liste, mon oncle.

– Mais il doit bien y avoir un peu plus de gras-double, une petite louchée de triple crème?

– Rien que ce qui est sur la liste, répéta Madeleine.

– Ah, ça alors! Et c'était là, sous mon nez, depuis tout ce temps!

Il s'en alla en grommelant, tapant du poing ici et là dans un mur ou dans un meuble.

À midi, tous les ingrédients étaient achetés, hachés, désossés, détaillés, broyés

et mixés conformément aux instructions de la recette, qui avait été suivie à la lettre. L'entraînement au sourire commença peu après, ce qui empêcha tout travail pendant deux heures. Madeleine en profita pour s'éclipser discrètement.

Aussi vite qu'elle le put, elle s'empara d'une casserole et commença à préparer son jus, comme elle l'avait fait la nuit même dans la cuisine de madame Pamplemousse. La sensation de liberté qu'elle avait eue là-bas l'avait complètement abandonnée, remplacée par la peur — une peur sourde, rampante, mais bien présente. La peur que sa recette ne vaille rien et que son oncle triomphe. Mais alors les premières volutes de vapeur s'élevèrent de la casserole pour aller s'enrouler délicatement autour de ses narines : dès cet instant, toutes ses craintes s'envolèrent. Une nouvelle Madeleine, calme et détachée, prit les commandes. Elle n'était plus pressée : elle laissa la recette prendre forme à son rythme, en suivant son tempo naturel.

Une fois sa tâche achevée, la fillette retira la casserole du feu et la mit à refroidir dans un placard, bien cachée à l'abri des regards. Il était temps : dans un lourd piétinement, les cuisiniers, forcés à l'inaction pendant l'entraînement au sourire, regagnaient la cuisine tel un troupeau de buffles.

À sept heures du soir, une foule immense, rassemblée devant le restaurant, réclamait à hauts cris l'ouverture des portes. Lard avait la pleine collaboration de l'armée et de la police, et de hautes barrières d'acier avaient été installées autour du restaurant. Des gardes armés patrouillaient tout le long de ces barrières. Des équipes de télévision filmaient ce tohu-bohu, et la foule frôla l'hystérie lorsqu'un hélicoptère apparut dans le ciel, s'immobilisa au-dessus du restaurant et déploya une échelle de corde. Un homme chauve et sans visage, en costume gris – le président de la République –, descendit, suivi de près par un petit bonhomme ratatiné qui était le P-DG de la compagnie « MANGER ».

Cela surpassait tous les rêves de monsieur Lard, qui sortit à la rencontre de son public, resplendissant dans son nouveau costume rose incrusté de diamants.

– Mesdames et messieurs, dit-il d'une voix onctueuse comme de la margarine tiède. (Silence, grand sourire à la cantonade.) C'est pour moi un immense honneur de vous accueillir ce soir pour la grande réouverture du *Cochon hurleur*. Jusqu'à présent, le monde n'a pu goûter que du bout des lèvres, une première fois, à ce qui est sans conteste le plus fabuleux, le plus délectable, le plus extraordinaire, le plus succulent, le plus époustouflant délice au monde !

Il y eut un tonnerre d'applaudissements et d'acclamations.

— Qui en veut encore?

— Moi! Moi! Moi! cria-t-on de toute part.

Lard leva les deux mains pour imposer le silence.

— Mesdames et messieurs, j'ai une bonne nouvelle à vous annoncer. Ce soir, vous pourrez en reprendre *à volonté*!

Le public se déchaîna.

En cuisine, c'était le coup de feu. Les marmitons avaient préparé la recette en quantités énormes, et ils en garnissaient généreusement des assiettes que Madeleine avait frottées jusqu'à ce qu'elles étincellent. Les serveurs, impatients, criaient aux cuisiniers de se dépêcher.

Une dispute faillit éclater entre un des serveurs et le chef de cuisine. Le serveur en question était le maigrichon qui espionnait pour le compte du patron.

— La prochaine fois qu'il crie, grommela le chef de cuisine, je lui plonge la tête dans la friteuse!

— Pas la peine, répondit Madeleine à voix basse. Écoutez-moi, j'ai un plan.

Elle lui parla alors de la recette secrète qu'elle avait préparée, et du projet de la servir après l'entrée.

En salle, tout ce que Paris comptait de plus riche et de plus influent tapait sur les tables avec couteau et fourchette. En voyant les serveurs sortir en rang de la cuisine, les dîneurs poussèrent des cris de singes.  Ils se jetèrent sur la nourriture, bavant et salivant, après quoi on n'entendit plus que les couverts tintant contre la porcelaine.

Monsieur Lard commença à se douter que quelque  chose clochait en voyant que certains avaient cessé de manger – mais pas comme ils l'avaient fait en goûtant le délice de chez madame Pamplemousse. Cette fois-là, c'était l'émerveillement qui les avait arrêtés. À présent, ils fronçaient les sourcils.

De ses petits yeux ronds, il vit le président de la République mâcher lentement, d'un air terriblement renfrogné ; à une table voisine, un homme se couvrit la bouche de sa serviette ; une femme pinça les lèvres comme si elle allait vomir. Puis le président cessa de mâcher et, soudain, cracha violemment sur la table. Alors, comme un seul homme, tous les convives se mirent à tousser, s'étrangler, râler, comme s'ils avaient été empoisonnés.

Lard se leva d'un bond en agitant les bras.

– Attendez ! clama-t-il. Arrêtez ! Il doit y avoir une erreur. Cessez de cracher, arrêtez tout de suite !

Ce que firent les dîneurs, pas parce qu'il le leur ordonnait, mais parce qu'à cet instant les portes du restaurant s'ouvrirent pour laisser entrer une procession solennelle de cuisiniers, tous en toque et tablier blancs. Ils étaient menés par le chef de cuisine, qui tenait à la main une toute petite assiette. Assiette qu'il posa devant le président de la République.

— Monsieur, dit-il, veuillez accepter ceci de la part de la cuisine, avec nos excuses.

Le président grommela et, sous le regard attentif des autres clients, porta une minuscule cuillerée de ce plat à ses lèvres. Puis une deuxième cuillerée, et une troisième. Les marmitons servirent aussi les autres tables, et bientôt tout le monde faisait comme le président, car la recette de Madeleine avait un effet tout à fait stupéfiant. Elle était si merveilleusement légère, si fraîche et revigorante, que les dîneurs eurent tôt fait d'oublier leur nausée et d'en redemander.

Voyant cet extraordinaire rebondissement, Lard se débarrassa de la nappe sous laquelle il s'était caché et s'épousseta. Il ignorait absolument ce qui se passait, mais supposa que les cuisiniers avaient commis une erreur dans la première fournée de la recette. Il comptait bien faire flamber le responsable avec du

vinaigre et des oignons, mais en attendant il impro-
visa.

– Mesdames et messieurs, lança-t-il avec un large
sourire. Comme vous l'avez bien évidemment deviné,
le premier service était un test! Un test pour voir si
vous étiez réellement les plus fins gourmets de Paris!

Un léger murmure d'approbation parcourut les
tables.

– Et vous avez réussi haut la main! Admirable! Vous
êtes non seulement les plus fins gourmets de Paris,
mais aussi les meilleures et les plus belles personnes
qui soient!

Le murmure d'approbation prit du volume. Mais

pendant le discours de Lard, une limou-
sine noire avait lentement glissé jusqu'à
la devanture du restaurant. Un
chauffeur en sortit pour ouvrir
la portière côté passager, et la
noire silhouette de monsieur

Langoustine descendit de la voiture. Sous le regard de tous, il s'approcha de monsieur Lard.

– Tiens donc, monsieur Langoustine, comme c'est aimable de passer nous voir, dit froidement Lard. Qu'est-ce qui nous vaut ce plaisir?

– Tout le plaisir est pour moi, monsieur. Car ce soir je viens fêter la naissance d'une nouvelle étoile de la gastronomie. (De sous son long manteau noir, il sortit un gros bouquet de fleurs.) Puis-je présenter mes compliments au chef?

À ces mots, Lard fondit comme du beurre rance.

– Voyons, monsieur Langoustine, il ne fallait pas... Mais j'accepte, bien sûr. Car c'est un honneur et un privilège d'être enfin reconnu en tant que plus grand chef cuisinier au m...

Monsieur Langoustine se racla bruyamment la gorge. Cela produisit un son désagréablement haut perché, à peine humain, qui réduisit illico monsieur Lard au silence.

– Vous ne m'avez peut-être pas bien entendu, monsieur, lança Langoustine, glacial cette fois. J'ai dit que j'étais venu présenter mes compliments *au chef.*

 Il avait élevé la voix afin d'être entendu de tous, bien que cela ne fût pas nécessaire car chacun écoutait avec beaucoup d'attention. Et là, il pointa sa main gantée de noir dans la direction de Madeleine, qui se tenait au milieu d'un groupe de cuistots. La fillette s'avança, et monsieur Langoustine lui donna les fleurs.

Un petit mot était attaché au bouquet, joliment écrit à l'encre violette :

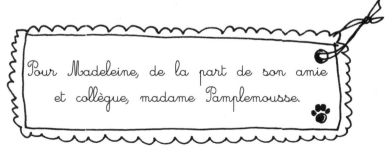

Pour Madeleine, de la part de son amie et collègue, madame Pamplemousse.

À côté du nom, on voyait une sorte de tache d'encre. En regardant mieux, Madeleine comprit que c'était une petite trace de patte.

– Félicitations, mademoiselle, dit Langoustine de sa voix flûtée. Les gens comme nous doivent se serrer les coudes.

Et il lui fit un élégant baisemain.

Un flash d'appareil photo crépita. Un photographe avait immortalisé l'instant, et dès le lendemain le cliché apparaîtrait en une de tous les journaux nationaux : Madeleine en toque et tablier blancs, un bouquet multicolore entre les mains, debout à côté d'un homme au physique austère, portant des lunettes noires. Au-dessus, les gros titres :

LANGOUSTINE FÉLICITE LA NOUVELLE ÉTOILE

DE LA GASTRONOMIE

UN RESTAURATEUR VOLE UNE RECETTE

À SA PROPRE NIÈCE

MONSIEUR LARD : VOLEUR

Et, dans les éditions du soir :

LE PLUS FABULEUX DÉLICE AU MONDE :

UN CANULAR ?

Monsieur Lard aussi serait visible sur la photo, à l'arrière-plan : le visage rose vif, dégoulinant de sueur.

Pour l'heure, on pouvait difficilement imaginer pire situation pour un voleur démasqué. Il avait veillé personnellement à ce que toutes les issues fussent barrées ou patrouillées par des gardes armés, chacun de ses gestes était retransmis à la télévision nationale, et il était cerné par une vaste foule en colère qui aurait facilement pu le mettre en pièces.

Et cependant, que fit cette foule? Elle applaudit. Personne ne le hua, ne le chahuta ni ne le siffla. Les gens se levèrent pour acclamer le spectacle, comme après une représentation théâtrale, rien de plus.

Quelqu'un cria alors le nom de Madeleine, et il y eut une petite mêlée parmi les journalistes, qui jouaient des coudes pour décrocher la première interview. La styliste pour enfants la plus en vue de Paris, qui était présente ce soir-là, voulait la persuader de poser dans un nouveau costume de fée, rose, avec des ailes élastiques.

Mais Madeleine était introuvable.

Dans la confusion générale, alors que l'attention de tous était détournée par les flashs des appareils photo, monsieur Langoustine et elle s'étaient discrètement faufilés dans la foule. Lorsqu'ils avaient atteint la limousine, le chauffeur en était sorti, avait ouvert la portière, et tous deux s'étaient glissés à l'intérieur. Et si quelqu'un avait regardé dans cette direction, il se serait sans doute étonné de voir que le chauffeur n'était pas un être humain mais un chat : un long chat blanc qui marchait sur ses pattes arrière et portait une casquette. Toutefois, personne ne remarqua rien, et bien avant que quiconque cherche Madeleine, la voiture avait démarré et s'éloignait en silence.

Épilogue

Madeleine ne fait plus la vaisselle au *Cochon hurleur*. Monsieur Lard a vendu le restaurant au chef de cuisine et à sa femme, qui l'ont rebaptisé *L'Escargot affamé* et connaissent un franc succès.

Ils ont aussi demandé à Madeleine si elle voulait bien vivre avec eux. Ses parents ont accepté, en échange d'une forte indemnisation pour la perte de leur enfant.

 Monsieur Lard a quitté Paris. Il vend désormais des frites dans une camionnette au bord de la mer – et on raconte qu'elles ne sont pas mauvaises du tout.

Et chaque fois qu'elle le peut, Madeleine va rendre visite à deux de ses amis, qui tiennent une boutique. Une petite boutique décrépite. Au coucher du soleil, on les trouve souvent en train de parler et de rire ensemble, sur un balcon très haut perché au-dessus des toits de Paris.

Dans la même collection

Composition : Nord Compo
Impression : Grafica Veneta en novembre 2013
N° d'édition : 19853/09
Imprimé en Italie